Chat GPT가
MZ세대에게 주는 삶의 지혜

디노

Chat GPT가 MZ세대에게 주는 삶의 지혜

발행	|	2024년 3월 30일
저자	|	디노
디자인	|	어비, 미드저니
편집	|	어비
펴낸이	|	송태민
펴낸곳	|	열린 인공지능
등록	|	2023.03.09(제2023-16호)
주소	|	서울특별시 영등포구 영등포로 112
전화	|	(0505)044-0088
이메일	|	book@uhbee.net

ISBN | 979-11-93116-54-8

www.OpenAIBooks.shop

Chat GPT가
MZ세대에게 주는 삶의 지혜

디노

목 차

머리말

열심히 살아 가면서도 때로는 삶이 조금 힘겹게 느껴질 때가 있습니다. 가끔은 앞을 가로막는 구름 같은 고민들이 길을 가리며, 늘 걸어왔던 길조차 멀고 힘들게 느껴질 때, 그럴 때마다 책의 세계로 발걸음을 옮겨 봅니다. 책 속에 지혜의 글에서는 언제나, 오랜 친구를 만나는 것 같은 편안함을 느낍니다. 오랜 친구 같은 만남을 통해 무한한 감동과 함께 주옥 같은 지혜를 얻게 됩니다. 이런 소중한 지혜들을 [Chat GPT가 MZ 세대에게 주는 삶의 지혜]라는 책에 담아 보았습니다.

이 책에서는 용기, 사랑, 믿음, 가족, 행복, 우정, 지혜부터 건강, 부모, 집, 자유 등 우리들의 삶에서 분명 중요하지만, 때때로 소홀히 하게 되는 주제 들이 그림과 명언, 그리고 각 명언에 대한 따뜻한 이야기들이 담겨 있습니다. MZ세대가 성장하며, 새로운 환경에 적응해가는 과정에서 이 책이 작은 도움이 되길 바랍니다.

저에게는 아직도 어린 아이처럼 보이는 아들이 어느새 성장하여 군대에 입대하였습니다. 바쁜 일상 속에서 아들에게 제대로 된 위문편지를 보내지 못한 것에 대한 미안함을 이 책의 지혜를 통해 나누고자 합니다. 그리고 집을 떠나 군 복무를 수행하는 모든 아들들에게 이 책이 위문편지 처럼 힘이 되길 바랍니다.

저자 소개

디노는 코딩교육기업 키코랩의 대표이자, 대구 디지털 역량교육 사업단, 한국평생교육진흥원, 대구 디지털 새싹 캠프 등 디지털역량 향상 전문 강사로도 활동하고 있습니다.

스마트폰 및 SNS 활용, Coding, Metaverse, Drone, Ai등 빠르게 변하는 디지털 환경에서 누구나 쉽고 재미있게 활용할 수 있도록 코칭과 더불어 더 나아가, AI를 활용한 새로운 비즈니스 모델을 개발 활용을 위한 사업을 다양하게 펼치고 있습니다.

디지털기술의 발전은 디지털 기술과 함께 행복한 동행, 행복한 digital literacy Leader로서 Chat GPT가 MZ세대에게 주는 삶의 지혜가 여러분의 마음도 성장할 수 있기를 희망합니다

용기

용기란 두려움 없이 사는 것이 아니라,

두려움에도 불구하고 나아가는 것이다 -마크 트웨인-

용기가 순전히 두려움의 부재가 아니라, 두려움을 인식하고도 그에 맞서는 행동을 강조합니다. 즉, 진정한 용기는 두려움을 부정하거나 회피하는 것이 아니라, 그것을 직면하고 극복하는 능력에서 나온다는 것입니다.

마크 트웨인(Mark Twain) 본명은 사무엘 랭혼 클레멘스로 미국의 작가이자 풍자가로, 그의 작품은 그의 독특한 유머 감각과 사회 비판으로 잘 알려져 있습니다. 그는 "톰 소여의 모험", "허클 베리 핀의 모험" 등의 작품으로 유명합니다. 그의 생애를 보면, 그는 끊임없이 도전했고 두려움을 극복했습니다. 어린 시절 가난한 가정에서 어려움을 겪으면서부터 시작하여, 기자, 조타수, 광산 개발자, 출판사 사장, 발명가 등 다양한 직업을 거쳤습니다. 그는 실패와 파산, 가족과 친구들의 죽음 등 삶의 많은 시련을 겪었지만, 그럼에도 불구하고 그는 계속해서 글을 썼고, 사람들을 웃게 했습니다. 그의 삶과 작품 모두에서 볼 수 있는 용기와 끈기, 두려움 앞에서 주저하지 않고, 어려움을 겪으면서도 자신의 길을 걸어가는 용기를 보여주었습니다.

실패

우리는 때때로 실패할 수 있지만, 그것이 우리가 실패자가 되는 것은 아니다. 용기를 잃는 것이야 말로 진정한 실패다.

- 루스 벨 그레이엄-

실패는 우리 삶의 일부분일 뿐이며, 그것이 우리를 실패자로 만들지는 않습니다. 그렇다면 실패자가 된다는 것은 무엇일까요? 그레이엄은 이것이 용기를 잃는 순간이라고 말합니다. 즉, 우리가 실패에 대해 두려워하고 도전을 멈추는 순간, 우리는 실패자가 될 수 있습니다.

루스 벨 그레이엄(Ruth Bell Graham) 은 미국의 크리스천 작가이자 시인으로, 전 세계적으로 유명한 목사 빌리 그레이엄의 부인으로 잘 알려져 있습니다. 그녀의 이 명언은 그녀의 삶에서도 반영되어 있습니다. 그녀는 중국에서 선교사의 딸로 태어났고, 어려운 환경에서도 끊임없이 그리스도를 전파하는 데 헌신했습니다. 또한, 그녀는 다섯 명의 자녀를 키우면서도 빌리 그레이엄의 사역을 돕고, 여러 책을 저술하는 등 많은 도전을 했고, 때론 실패도 겪었습니다. 그러나 그녀는 절대로 용기를 잃지 않았습니다.

진정한 실패는 용기를 잃고 도전하지 않는 것입니다. 이를 기억하고, 용기를 갖고 삶의 어려움을 극복하면 더 나은 미래를 향해 나아갈 수 있습니다.

사랑

사랑한다는 것, 그것은 서로를 마주 보고 있는 것이 아니라 둘이 함께 같은 방향을 바라보는 것이다. - 생텍쥐페리-

사랑은 사람들의 가장 기본적인 감정입니다. 사람을 행복하게 하고, 삶의 의미를 부여해 줍니다. 그러나 사랑의 의미는 무엇일까요? 사랑한다는 것, 그것은 서로를 마주 보고 있는 것이 아니라 둘이 함께 같은 방향을 바라보는 것이라고, 사랑은 서로를 향한 감정이 아니라, 함께 같은 목적을 향해 나아가는 것이라는 의미를 담고 있습니다. 사랑하는 사람들은 서로를 이해하고, 공감하며, 함께 성장해 나아 갑니다. 그들은 서로의 차이를 인정하고, 서로의 장점을 보완하며, 함께 더 나은 삶을 만들어 나가기 위해 노력합니다.

생텍쥐페리(Antoine de Saint-Exupery)는 어린 시절부터 글쓰기를 좋아했습니다. 그는 어머니의 격려와 지원을 받아 글쓰기를 계속할 수 있었습니다. 생텍쥐페리는 항상 "네가 하고 싶은 일을 하도록 해. 네가 되고 싶은 사람이 되어라." 라는 어머니의 말씀을 가슴에 새겼습니다. 그의 작품으로 너무나도 유명한 책 어린 왕자와 인간의 대지, 성채 등 많은 작품을 남겼습니다. 그의 작품들은 전 세계 사람들에게 사랑받고 있으며, 인간의 삶과 사랑, 우정에 대한 깊은 영감을 주고 있습니다.

사랑은 우리를 세상에서 가장 행복한 사람으로 만들어준다.

- 헨리 드레이퍼-

사랑이란, 우리를 가장 행복하게 만드는 감정입니다. 사랑은 우리를 충만하게 합니다. 사랑은 우리가 겪는 어떤 어려움도 극복할 수 있게 해주며, 세상에서 가장 행복한 사람으로 만들어 줍니다. 사랑은 인생에서 가장 행복한 순간을 경험하게 합니다.

헨리 드레이퍼(Henry Draper)는 19세기 미국의 의사이자 천문학자로, 그의 연구는 천문학의 여러 분야에 큰 영향을 끼쳤습니다. 그는 사진 천체 관측의 선구자로 알려져 있으며, 그의 연구는 오늘날 우리가 우주를 이해하는 데 크게 기여하였습니다. 그의 이 명언은 그의 과학적 업적을 넘어, 그가 사랑과 인간의 감정에 대해 깊이 이해하고 있음을 보여줍니다.

사람들은 논리적이지 않고 불합리하며 자기 중심적이다.

그래도 그들을 사랑하라. – 켄트 키스

사람들을 사랑하라

켄트 키스의 역설적인 지도자의 십계명 중 첫번째 계명으로 " 사람들은 논리적이지 않고 불합리하며 자기중심적이다. 그래도 그들을 사랑하라."라고 말한다. 켄트 키스는 세상이 완벽하지 않다는 점을 인정하고, 그럼에도 불구하고 사람들을 사랑하라고 말합니다

사람들은 종종 논리적이지 않고, 불합리하며, 자기중심적이다. 그들은 자신의 이익을 위해 타인을 배신하거나, 자신의 감정에 휩싸여 합리적인 판단을 내리지 못하기도 합니다. 이러한 사람들을 사랑한다는 것은 쉽지 않은 일입니다. 그러나 키스는 사람들을 사랑하는 것이 중요하다고 말합니다. 왜냐하면 사랑은 우리가 다른 사람을 이해하고, 그들과 공감할 수 있도록 도와주기 때문입니다. 사랑을 통해 우리는 다른 사람의 입장을 생각하고, 그들의 행동에 대한 이유를 이해할 수 있게 됩니다.

사랑은 또한 우리가 다른 사람을 용서하고, 화해할 수 있도록 도와줍니다. 우리가 다른 사람을 사랑한다면, 그들의 잘못을 용서하고, 함께 새로운 시작을 할 수 있습니다.

물론, 모든 사람을 사랑할 수는 없습니다. 그러나 우리는 최선을 다해 다른 사람을 이해하고, 사랑하려고 노력해야 합니다. 사랑은 우리가 더 나은 사람이 되고, 더 나은 세상을 만들 수 있도록 도와주는 힘입니다.

켄트 키스(Kent M. Keith)는 미국의 변호사, 주정부 관료, 하이테크 공원 개발자, 사립대 원장, 대학원 교수, 커뮤니티 활동가 등 다양한 경력을 쌓은 인물이다. 그는 19살 때 하버드대학교 2학년 재학 중에 "지도자를 위한 역설적 십계명"을 썼으며. 이 글은 전 세계적으로 널리 읽히며, 많은 사람들에게 영감을 주고 있습니다 우리가 세상을 바꾸기 위해서는 먼저 자신을 바꿔야 합니다.   우리는 세상을 사랑하기 전에, 먼저 우리 자신을 사랑해야 합니다. 또한, 우리는 세상을 변화시키기 위해 노력하면서, 세상이 완벽하지 않다는 점을 인정해야 합니다. 키스의 역설적인 십계명은 우리가 더 나은 세상을 만들기 위해 노력하는데 도움이 되는 지침서입니다.

믿음

믿음이란, 우리가 어떻게 살아야 할지를 가르쳐 주는 것이다.

- 마틴 루터

믿음은 단순히 우리가 무엇을 바라보고 기대하는 것을 넘어서, 우리가 어떻게 행동하고, 어떻게 살아가야 하는지에 대해 말하고 있습니다. 삶의 방향을 정하고, 우리의 행동과 선택에 의미를 부여하며, 우리를 도덕적이고 윤리적인 존재 로서의 삶을 살도록 이끕니다. 믿음이 우리 삶의 중심입니다.

마틴 루터는(Martin Luther) 16세기 독일의 신학자이자 종교 개혁가로, 그의 가르침과 글은 기독교 신학에 깊은 영향을 주었으며, 그의 생각은 여전히 많은 사람들에게 영감을 주고 있습니다. 그는 믿음의 중요성을 강조하며, 그것이 어떻게 우리의 삶과 행동에 영향을 미치는지를 보여 주었습니다.

믿음이 없는 삶은 뿌리가 없는 나무와 같다.

- 버락 오바마-

믿음은 우리의 삶에 깊이와 의미를 부여하는 힘이며, 우리를 견디게 하고, 우리가 어려움을 극복하고 성장하게 합니다. 나무가 뿌리 없이는 성장할 수 없듯이, 사람들 역시 믿음 없이는 삶의 도전을 극복하거나 자신의 목표를 이루기가 어렵습니다.

버락 오바마(Barack Obama)는 미국의 역사에서 첫 번째 흑인 대통령으로. 그의 리더십과 영향력은 미국과 전 세계에 큰 변화를 가져왔습니다. 또한 그의 믿음의 중요성을 강조한 명언은, 사람들이 자신의 능력을 믿고 자신의 꿈을 실현할 수 있도록 큰 교훈을 주고 있습니다.

가족

가족은 우리가 가는 길을 밝혀주는 등대입니다.

- 조지 워싱턴

가족이란, 우리의 삶에서 방향을 잡아주는 등대와 같습니다. 때로는 폭풍우 속에서 길을 잃을 때, 때로는 어둠 속에서 방향을 찾을 때, 가족이 우리에게 안내와 지원을 제공합니다. 그들은 우리가 올바른 방향으로 나아가도록 도와주며, 때로는 우리가 잘못된 길로 가지 않도록 경고합니다. 이 명언은 가족의 역할을 잘 설명하며, 우리가 가족을 얼마나 소중히 여겨야 하는지를 알려 주고 있습니다.

조지 워싱턴(George Washington)은 미국의 초대 대통령으로, 그의 통치 기간 동안 미국의 헌법을 실행하고, 연방 정부를 구축하며, 국제적인 중립을 유지하는 등 많은 성과와 정직과 공정함, 그리고 국가에 대한 그의 헌신으로 널리 존경받았습니다.

가장 중요한 것은 가족이며, 그들과 함께 있는 시간은 결코 낭비된 시간이 아니다. - 알렉산더 헤일리-

가족은 우리 삶에서 가장 중요하고 소중한 존재입니다. 그들과 함께 보내는 시간은 단순히 시간을 보내는 것이 아니라, 매우 의미 있는 시간입니다. 가족과 함께 있는 순간을 소중히 여기고, 그 시간을 낭비하지 않아야 합니다. 서로를 이해하고 사랑하며, 서로의 지지를 받을 수 있는 시간입니다. 이 시간은 우리에게 힘과 행복을 주고, 우리 인생에 의미를 주는 가족과 함께 보내는 시간을 소중히 여기고, 무엇보다 가족에게 마음을 열어 주는 것이 중요합니다.

알렉산더 헤일리 (Alexander Hailey)는 미국의 작가로서, 그의 작품들은 사회적인 이슈와 가족의 이야기를 다루는 데 중점을 두고 있습니다. 그의 작품들은 인간의 관계와 가족의 중요성에 대한 깊이를 보여줍니다. 헤일리의 책을 읽으면 가족과 함께 보내는 시간의 소중함을 더욱 느낄 수 있을 것입니다.

행복

당신을 행복하게 만드는 유일한 방법은 사람들이 당신을 어떻게 생각하는지가 아니라 당신 자신에 만족하는 것입니다.

- 골디 혼-

행복은 자기 자신에 대한 이해와 자아 인식이 중요합니다. 사람들이 우리를 어떻게 생각하는지에 대한 고민은 우리를 불안하게 하며 자신에 대한 의심을 불러일으킬 수 있습니다. 하지만 이 명언은 우리에게 외부의 의견이 아닌, 스스로에 대한 만족이 진정한 행복으로 이끄는 길이라는 것을 알려줍니다. 이 명언을 실천하기 위해서는, 먼저 자신의 내면을 들여다보고, 자신의 가치를 발견하는 것이 중요합니다. 우리는 모두 각자의 고유한 가치와 능력을 가지고 있습니다. 그 가치와 능력을 발견하고, 그것을 인정하는 것이 행복의 첫걸음입니다. 또한 다른 사람들의 시선에 연연하지 않는 태도를 키우는 것도 중요합니다. 다른 사람들이 우리를 어떻게 생각하든, 그것이 우리의 가치를 결정하지는 않는다는 사실을 기억해야 합니다. 우리는 우리 자신의 기준에 따라, 우리 자신을 사랑하고 존중해야 합니다.

골디 혼(Goldie Hawn)은 미국의 배우이자 가수로, 그녀의 엔터테인 먼트 경력은 광범위하게 이어져 왔습니다. 그녀는 텔레비전, 영화, 공연 등 다양한 장르에서 활동하며 그녀의 재능과 열정을 세계에 전파하였습니다.

행복은 미래를 위해 미루는 것이 아니라 현재를 위해 디자인하는 것입니다. -짐 론-

사람들은 때때로 미래의 성공을 위해 행복을 미룹니다.

하지만, 짐 론은 행복이 미래의 사건이나 상황에 달려있는 것이 아니라, 우리가 현재를 어떻게 경험하고, 인식하고, 디자인하는지에 달려 있다는 것을 강조합니다. 행복이 현재에서 발견되어야 하며, 우리의 삶, 생각, 그리고 행동을 통해 현재를 디자인하는 것이 행복을 찾는 가장 확실한 방법이라고 주장했습니다. 이는 우리 모두에게 현재의 순간에 집중하고, 자신의 삶을 적극적으로 디자인함으로써 행복을 추구하도록 권장하는 메시지를 전달합니다.

짐 론(Jim Rohn)은 미국의 저명한 사업가이자 저자로, 그는 전세계적으로 인정받는 자기계발의 전문가였습니다. 그의 강연과 책은 수많은 사람이 자신의 삶을 개선하고, 목표를 달성하며, 행복을 찾는데 도움을 주었습니다.

우정

진정한 친구란, 모든 것을 함께 나눌 수 있는 사람을 말한다.

즐거움을, 고통을, 그리고 비밀을. -샬럿 브론테-

우정이란 무엇일까요? 친구와의 관계에서 서로를 이해하고 지지하며, 함께 성장함으로   삶의 가치를 높일 수 있습니다.

진정한 친구 란, 단순히 좋은 시간을 함께 보내는 사람이 아니라, 삶의 모든 순간을 함께 나누는 사람을 의미합니다. 즐거움을 공유하고, 고통을 함께 견디며, 우리의 비밀을 안전하게 지켜줍니다. 이러한 공유는 우리가 서로를 더 잘 이해하고, 서로에게 더욱 가까이 다가갈 수 있게 해줍니다.

샬럿 브론테(Charlotte Bronte)는 19세기 영국의 대표적인 소설가로, "제인 에어"의 저자로 잘 알려져 있습니다. 그녀는 가난과 고독, 그리고 사회적 제약 사이에서도 창조적인 열정을 유지했으며, 그녀의 삶과 작품 모두가 이 명언처럼 깊은 우정의 가치를 전달하고 있습니다.

진정한 친구는 당신의 손을 잡고, 당신의 마음을 만진다.

- 가브리엘 가르시아 마르케즈-

우리에게 친구 란 무엇인지, 그리고 친구가 되기 위해 어떤 것이 필요한지를 가르쳐 줍니다. 진정한 친구란 단순히 함께 시간을 보내고 즐거운 순간을 공유하는 사람이 아니라, 우리의 기쁨과 슬픔, 성공과 실패를 함께 나누며 우리의 마음을 이해하고 공감하는 사람입니다. 친구는 당신의 손을 잡아줍니다. 그들은 당신이 어려움에 처 했을 때, 혼자서 그 어려움을 극복하려고 애쓰는 당신을 도와줍니다. 당신이 삶의 큰 결정을 내려야 할 때, 당신의 선택을 지지하며 당신을 격려해 줍니다. 친구는 또한 당신의 마음을 만집니다. 당신의 마음속에 있는 가장 깊고 숨겨진 감정들을 이해하려고 노력합니다. 그래서 우리는 친구를 가치 있게 생각하고, 그들과의 관계를 소중히 여겨야 합니다.

가브리엘 가르시아 마르케즈 (Gabriel Garcia Marquez)는 콜롬비아 출신의 작가로, 1982년 노벨문학상을 수상한 대표적인 작가입니다. 그의 작품은 매혹적인 서사와 환상적인 요소들이 결합된 매직 리얼리즘으로 잘 알려져 있습니다

지혜

지혜는 삶의 가장 귀중한 선물이다. - 소크라테스-

지혜는 단순히 정보나 지식을 넘어서, 삶의 다양한 상황에서 올바른 판단을 내리고, 이해력을 키우며, 성장을 이끌어내는 능력입니다. 이는 삶의 도전과 변화에 대처하고, 의미 있는 삶을 살아가기 위해 꼭 필요 하며 이것은 삶의 가장 귀중한 선물입니다.

소크라테스(Socrates)는 고대 그리스의 철학자로서, 그의 대화법과 의문법을 통한 교육 방식은 그의 시대뿐만 아니라 그 이후의 철학에도 큰 영향을 미쳤습니다. 그는 지혜, 도덕성, 정의 등에 대한 깊은 통찰력을 통해 개인의 자기성찰과 사회적 양심을 강조하였습니다. 그의 생각과 가르침은 서양 철학의 기초를 형성하였으며, 그의 지혜에 대한 교훈은 오늘날에도 여전히 많은 사람들에게 영감을 줍니다.

지혜는 깊이 있는 생각과 진실을 알아차리는 능력이다

- 소크라테스-

지혜란 진실을 이해하고, 깊이 있는 생각을 하는 능력입니다. 이는 경험과 지식을 통해 세상을 이해하고, 삶과 주변의 세계에 대한 깊이 있는 이해를 돕는 능력을 의미하며, 지혜의 힘이 어떻게 우리의 삶을 이해하고, 세상을 이해하는 데 도움이 되는지를 알려줍니다.

지혜는 호기심에서 생겨난다.

-알버트 아인슈타인-

모든 지혜의 시작점은 호기심, 즉 알고자 하는 욕구에서 비롯됩니다. 이 호기심은 우리가 세상을 탐색하고, 다양한 경험을 하며, 새로운 것을 배우는 추진력이 됩니다.

알버트아인슈타인 (Albert Einstein)은 20세기를 대표하는 물리학자로, 그의 상대성 이론은 물리학의 패러다임을 바꾸었습니다. 그는 과학자 로서의 업적뿐 만 아니라 그의 철학적인 측면에서도 호기심과 탐구 정신, 그리고 그것이 어떻게 지혜로 이어지는지에 대한 그의 깊은 이해를 보여줍니다. 그의 생애와 업적은 과학의 역사에 두터운 흔적을 남겼으며, 그의 생각과 가르침은 여전히 많은 사람들에게 영감을 주고 있습니다.

시간

시간을 아껴라. 당신이 할 수 있는 가장 중요한 투자이다.

\- 조이스 마이어-

시간은 우리에게 가장 중요한 투자이자 가장 소중한 자원입니다. 성장과 발전, 그리고 성공을 이룰 수 있는 열쇠가 될 수 있습니다.

반면, 시간을 낭비하면 그만큼의 기회와 가치를 잃게 됩니다. 따라서 시간을 아끼는 것은 우리의 삶에서 가장 중요한 행동으로, 이를 통해 우리는 자신의 삶을 더욱 풍요롭고 가치 있는 것으로 만들 수 있습니다.

조이스 마이어(Joyce Meyer)는 세계적으로 인정받는 크리스천 작가이자 강사로, 그녀의 말과 글은 사람들에게 삶과 신앙뿐만 아니라 개인의 삶에 대한 책임감과 자기 개발의 중요성을 강조하며, 이를 통해 많은 사람들에게 영감을 주고 있습니다.

시간은 우리에게 가장 소중한 선물이자, 가장 큰 도전이다.

-칼 융-

시간은 우리에게 가장 소중한 선물이지만, 동시에 가장 큰 도전이기도 하다고 말했습니다. 시간은 우리가 살아가고, 사랑하고, 배우고, 성장할 수 있는 기회를 제공하지만, 시간이 지나면 모든 것은 변하기 때문입니다. 융은 시간의 소중함을 깨닫고, 시간을 잘 활용하는 것이 중요하다고 생각했습니다. 그는 시간은 한정되어 있다는 사실을 기억하고, 우리의 삶에서 무엇이 중요한지 생각하며, 계획을 세우고 실천하는 것을 강조합니다. 시간을 통해 자신의 삶을 어떻게 구성하고, 어떤 가치를 추구하며, 어떤 목표를 달성할 것인지 결정하게 되며, 이 과정에서 선택과 행동이 자신의 삶을 결정합니다 따라서 시간의 활용은 삶에서 가장 중요하며, 이를 통해 자신의 삶에 대한 통제력을 갖게 됩니다.

칼 융(Carl Jung)은 20세기의 스위스 심리학자로, 그의 철학과 이론은 심리학과 인간의 이해에 깊은 영향을 끼쳤습니다. 심리학의 여러 분야에서 중요한 개념과 이론을 개발하였으며, 이를 통해 인간의 내면세계와 심리적 경험에 대한 이해를 향상시켰습니다

여행

세상을 여행하는 것은 책을 읽는 것과 같다. 사람이 한 페이지만 읽고 있으면, 그는 아무것도 알지 못한다.

- 성 어거스틴

세상을 여행하는 것은 책을 읽는 것과 같다. 사람이 책을 끝까지 읽지 않고 한 페이지만 읽는다면 그 책의 전체 내용을 이해할 수 없습니다. 세상을 여행하면서 다양한 문화, 사람, 경험으로 세상에 대한 더 깊고 폭넓은 이해를 얻게 됩니다. 따라서, 여행은 경험을 통하여 세상에 대한 더욱 깊은 이해를 얻을 수 있습니다.

성 어거스틴(Augustine)은 초기 기독교 사상가이자 신학자로, 그의 생각과 가르침은 사람의 삶과 신앙에 대한 깊이 있는 이해를 제공하며, 그의 작품은 여전히 많은 사람들에게 영감을 주고 있습니다. 그는 여행의 중요성과 그것이 우리의 삶과 신앙에 미치는 영향에 대해 알려주고 있습니다

여행은 우리를 더 나은 사람으로 만든다.

- 마크 트웨인-

여행은 우리의 시야를 넓히고, 우리의 이해력을 향상시키며,

우리의 인간성을 성장시켜 줍니다. 여행은 우리에게 새로운 문화,

사람들, 그리고 생각을 경험할 기회를 제공하며,

이러한 다양한 경험은 우리의 사고방식을 확장하고,

우리의 삶에 다양성과 깊이를 더해 줍니다.

여행으로 우리는 더 나은 사람이 될 수 있습니다.

마크 트웨인(Mark Twain), 본명은 사무엘 랭혼 클레멘스는 미국의 저명한 작가이자 풍자가로, 사람들에게 삶과 인간성, 사회적 인간의 본질, 작품 속 독특한 유머로 인해 여전히 많은 사람들에게 사랑받고 있습니다.

여행은 새로운 것을 배우는 가장 좋은 방법이다.

- 미르자 게오르드-

여행은 새로운 것을 배우는 가장 좋은 방법입니다. 여행은 우리에게 새로운 문화와 관습에 대해 배우고. 다른 나라의 역사, 종교, 음식, 예술 등을 경험하면서, 그 나라의 문화에 대해 더 깊이 이해할 수 있습니다. 또한, 다른 나라의 사람들과 교류하면서 그들의 삶과 가치관에 대해 배우는 것도 가능합니다. 새로운 지식과 경험, 새로운 음식, 그리고 새로운 일에 도전할 수 있습니다. 이를 통해 우리는 우리의 한계를 극복하고, 성장할 수 있습니다. 여행을 통해 우리는 삶의 의미와 가치에 대해 생각해 볼 수 있는 기회를 얻을 수 있습니다.

미르자 게오르드(Mirza Ghalib)는 19세기 인도의 유명한 오르두 시인으로, 그의 작품은 그의 깊은 관찰력과 지혜를 담고 있습니다. 그는 인도의 문학과 문화에 큰 영향을 미친 인물 중 하나로 알려져 있습니다. 미르자 게오르드의 작품을 통해 사랑, 우정, 삶의 변화 등 인간의 복잡한 감정과 경험을 다루었습니다. “여행은 새로운 것은 배우는 가장 좋은 방법이다”는 그의 명언 중 하나로 여행이 우리의 시야를 넓히고 새로운 문화와 사람들 과의 만남을 통해 인생을 풍요롭게 만들어준다는 아이디어를 전달하고 있습니다.

책

책은 내 인생의 가장 큰 기쁨이다. - 윈스턴 처칠-

우리의 시야를 확장하고, 우리의 이해력을 향상시키며, 우리의 삶에 깊이와 의미를 더해주는 책은 우리의 마음과 영혼을 여행하게 합니다

윈스턴 처칠 (Winston Churchill)은 20세기 역사적인 인물이자 영국의 정치가, 작가, 군인으로 알려져 있습니다. 그는 제2차 세계대전 동안 영국의 총리로서 뛰어난 리더십을 발휘하여 독일의 나치 제국과 싸웠으며 그의 용기와 결단력은 영국인들에 큰 용기를 주었고, 그는 "영웅적인 리더"로 알려져 있습니다. 처칠은 어릴 때부터 책을 좋아했고 하루에 몇 시간씩 책을 읽으며, 다양한 분야의 지식을 쌓았습니다. 책은 처칠에게 지식 과 지혜뿐 만 아니라, 그의 삶을 풍요롭게 만들었습니다. 그의 책 중에서 그의 젊은 시절과 경험에 대한 자선적인 이야기를 담고 있는 책 "내 인생의 가장 큰 기쁨" (My Early Life: A Roving Commission) 이 있습니다.

책은 가장 훌륭한 친구이며, 가장 믿음직한 조언자이다.

- 찰리 채플린

책은 '가장 훌륭한 친구'와 '가장 믿음직한 조언자' 입니다. 우리의 삶에 깊이와 의미를 더하여 줍니다. 책은 우리의 경험과 이해를 넓혀주며, 우리의 삶에 대한 새로운 시각을 줍니다. 또한, 책은 우리의 삶을 대하는 방식에 대한 가치 있는 조언을 제공하며, 이를 통해 우리는 더 나은 결정을 내릴 수 있고 더 풍요로운 삶을 살 수 있습니다. 따라서, 책은 우리의 삶에서 가장 훌륭한 친구이며, 가장 믿음직한 조언자가 될 수 있습니다.

찰리 채플린(Charlie Chaplin)은 영국 출신의 유명한 배우, 감독, 작곡가이며, 그는 특히 코미디 장르에서 그의 독특한 캐릭터 '작은 떠돌이'로 유명 합니다. 채플린은 대부분의 영화를 감독하고 각본을 썼으며, 제작, 편집, 주연 그리고 음악까지 맡았습니다. 그는 자신의 영화에 대해 완벽주의를 고집하였으며 영화에서는 사회적 문제와 인간 본질에 대해 독특한 휴머니즘과 인간성으로 많은 사람들에게 사랑을 받았습니다.

책은 나의 친구이며, 나의 유일한 친구이다.

- 알렉산더 그레이트

책은 우리의 삶에 깊이와 의미를 더하며. 우리의 경험과 이해를 넓혀 줍니다. 우리의 삶에 대한 새로운 시각을 제공합니다. 또한, 책은 우리의 삶을 대하는 방식에 대한 가치 있는 조언자 되고, 이를 통해 우리는 더 나은 결정을 내리고, 더 풍요로운 삶을 살 수 있습니다. 따라서, 책은 우리의 삶에서 가장 훌륭한 친구이며, 가장 믿음직한 조언자가 될 수 있습니다.

알렉산더 그레이트(Alexander The Great)는 고대 마케도니아의 왕 이자 역사상 가장 위대한 군인 중 한 명으로, 그의 지배 기간 그는 거대한 제국을 세우고, 그의 군대는 알렉산더의 죽음 이후에도 그의 제국을 지속시켰습니다. 그는 자기의 지능과 전략적인 능력으로 유명하며, 그의 통치는 고대 역사에서 가장 중요한 시기입니다. 그의 명언은 그의 지식에 대한 깊은 존경과 그의 지식에 관한 끊임없는 탐구를 반영하고 있습니다.

음악

음악은 마음의 언어이다. - 마르틴 루터-

음악이 우리의 감정과 생각, 우리의 마음속 영혼에서 나오는 감정과 경험을 표현합니다. 음악은 말로 표현하기 어려운 우리의 감정과 느낌을 전달하는 힘이 있으며, 이를 통해 우리는 자신의 내면세계를 이해하며, 또한 다른 사람들과 깊은 연결을 맺을 수 있습니다. 따라서, 음악은 마음의 언어이자 우리의 감정과 경험을 표현하고 공감할 수 있습니다.

마르틴 루터(Martin Luther)는 음악에 대한 깊은 이해와 그의 신앙에 대한 열정으로 유명한 독일의 종교 개혁자입니다. 그는 교황 체제의 타락과 신앙의 본질적인 가치를 회복하기 위해 종교 개혁을 주장하였고, 신앙의 자유와 개신교의 기초를 다지는데 큰 역할을 했습니다. 마르틴 루터는 음악의 대한 열정을 통해 신앙의 깊은 내용과 감정을 표현하는데 큰 관심을 가졌습니다. 음악이 마음의 언어로서 우리의 내면 세계에 다가가고, 감정을 표현하며 음악이 우리의 마음과 영혼에 큰 영향을 미친다는 것을 알려 줍니다. 그의 작품 중에는 대표적으로 "신앙을 위한 시편 곡" "신앙고백의 찬송가" 등이 있습니다.

음악은 세상을 통합하는 무기입니다.

- 스티비 원더-

음악은 언어, 종교, 국경을 넘어 사람들을 하나로 모을 수 있는 강력한 힘을 가지고 있습니다. 음악은 기쁨, 슬픔, 분노, 사랑 등 다양한 감정을 전달할 수 있으며, 사람들의 마음을 움직이고, 공감대를 형성할 수 있습니다.

스티비 원더 (Stevis Wonder)는, 미국의 싱어송라이터, 음악 프로듀서, 악기 연주자로 알려진 뮤지션입니다. 이 명언은 음악의 중요성과 가치를 잘 나타내고 있습니다. 음악은 세상의 다양한 사람들을 하나로 모으고, 평화를 가져오는 힘을 가지고 있습니다.

스티비 원더는 음악을 통해 세상을 더 나은 곳으로 만들고 싶어했습니다. 그는 음악을 통해 사람들의 마음을 하나로 모으고, 많은 사람들에게 감동을 주었고, 롤링 스톤 매거진에서 역사상 가장 위대한 100명의 아티스트 중 하나로 선정되기도 했습니다.

휴가

휴가는 우리가 사랑하는 사람들과 함께 시간을 보내고,

행복을 느낄 수 있는 시간이다. - F.스콧 피츠제럴드

-

휴가는 사랑하는 사람들과 함께 시간을 보내고, 행복을 느낄 수 있는 시간'이다. 휴가가 단순히 일상에서 벗어나는 것이 아니라,

가장 소중한 사람들과 소중한 시간을 보내며, 그 과정에서 행복을 느낄 수 있습니다.

F스콧 피츠제럴드 (F Scott Fitzgerald)는 20세기 초반의 미국 문학계에서 가장 중요한 작가로, 그의 작품은 그의 시대를 대표하는 것으로 널리 인정받고 있습니다. 그의 가장 유명한 작품인 '위대한 개츠비' (The Great Gatsby)는 1920년대의 미국의 부유층과 그들의 고귀한 꿈과 욕망, 사회적 허영과 비애를 그렸습니다. 그 시대의 도덕적인 타락과 미국 꿈의 허망함을 비판하는 내용을 생생하게 묘사하고 있으며, 그의 섬세한 문체와 깊은 인간에 대한 이해를 통해 독자들에게 깊은 감동을 주었습니다

휴가는 우리가 삶에서 소중한 것을 다시 생각하고, 감사할 수 있는 시간이다. - 어니스트 헤밍웨이-

휴가는 단순히 쉬는 시간이 아니라, 삶을 돌아보고, 소중한 것을 다시 생각할 수 있는 시간입니다. 휴가는 일상에서 벗어나 새로운 경험을 할 수 있는 기회입니다. 우리는 휴가를 통해 새로운 사람들을 만나고, 새로운 문화를 접하고, 새로운 것을 배울 수 있습니다. 이러한 경험은 우리에게 새로운 시각을 주며, 삶을 보다 풍요롭게 만들어 줍니다. 그러나 휴가는 단순히 새로운 것을 경험하는 것만으로 충분하지 않습니다. 휴가는 우리 삶에서 소중한 것을 다시 생각하고, 감사할 수 있는 시간이기도 합니다. 휴가를 통해 가족과 친구들을 생각하고, 그들과 함께한 소중한 시간을 되돌아볼 수 있습니다. 우리가 가진 모든 것에 감사할 수 있습니다. 건강, 가족, 친구, 직업, 그리고 우리가 가진 모든 것들입니다.

어니스트 헤밍웨이(Ernest Hemingway)는 제1차 세계 대전 중 이탈리아에서 종군 기자로 활동했으며, 이 경험을 바탕으로 <누구를 위하여 종을 울리나>라는 작품을 발표했습니다. 이 작품은 1940년 노벨 문학상을 수상하며, 헤밍웨이를 세계적인 작가로 만들어 주었습니다. 헤밍웨이는 자신의 작품에서 인간의 삶의 고통과 위대함을 깊이 있게 탐구 했습으며, 그는 삶의 의미와 가치에 대한 깊은 통찰을 바탕으로, 독자들에게 진정한 삶의 의미를 깨닫게 해 주는 작품을 남겼습니다.

예술

예술이 낳은 것 중에서 가장 중요한 것이 무엇이냐고 묻는다면 아름다운 집이라고 답하리라. 그 다음이 무엇이냐고 묻는다면 아름다운 책이라고 말하리라. – 윌리업 모리스-

윌리엄 모리스(William Morris)는 아름다운 집과 아름다운 책을 예술의 가장 중요한 산물로 꼽았습니다. 아름다운 집은 사람들에게 편안함과 안락함을 주고, 아름다운 책은 사람들에게 지식과 즐거움을 줍니다.

아름다운 집과 아름다운 책이 사람들의 삶에 미치는 긍정적인 영향을 주며. 예술이 단순히 미적 감각을 만족시키는 것이 아니라, 사람들의 삶을 보다 풍요롭고 의미 있게 만들어 줍니다.

윌리엄 모리스는 19세기 영국의 대표적인 예술가이자 디자이너, 시인, 작가로, 그는 '아름다움은 일상생활의 필수적인 요소'라는 이념을 바탕으로, 기능적이면서도 자연의 아름다움의 디자인을 추구하고 윌리엄 모리스 회사를 창설하고 고품질의 수공예 작품도 제작하였 습니다.

예술은 삶의 일부이며,

삶을 풍요롭게 만드는 힘을 가지고 있다.

\- 윌리엄 모리스-

예술은 우리에게 다양한 감정을 느끼게 해 줍니다. 아름다움, 기쁨, 슬픔, 분노 등 다양한 감정을 통해 우리는 세상을 더 깊이 이해하고, 우리 자신을 더 잘 이해할 수 있습니다. 또한, 예술은 우리에게 새로운 아이디어와 영감을 줍니다. 예술을 통해 우리는 새로운 가능성을 발견하고, 창의적인 삶은 우리 삶을 더욱 풍요롭게 만들어 줍니다

영국 빅토리아 시대의 예술가이자 디자이너인 윌리엄 모리스는 "예술은 삶의 일부이며, 삶을 풍요롭게 만드는 힘을 가지고 있다." 라고 말합니다. 예술이 단순히 사치품이나 여흥이 아니라, 우리의 삶의 필수임을 말하고 있습니다. 윌리엄 모리스는 예술의 이러한 중요성을 깊이 인식하고 예술이 대중에게 보다 쉽게 다가갈 수 있도록 노력했으며. 예술품을 대량 생산하고, 저렴한 가격에 판매함으로써 예술을 보다 많은 사람들에게 제공하였습니다. 윌리엄 모리스의 노력은 오늘날까지도 이어지고 있습니다. 예술은 여전히 우리 삶의 중요한 부분이며, 우리 삶을 더욱 풍요롭게 만드는 힘을 가지고 있습니다.

도전

도전은 기회다. 변화의 기회, 성장의 기회, 그리고 우리 자신을 뛰어넘는 기회다. -리처드 브랜슨-

도전을 공포나 불안감으로 받아들이는 대신, 그것을 기회로 바라보고, 기회는 변화, 성장, 그리고 우리 스스로를 뛰어넘는 데 필요합니다. 변화는 새로운 가능성을 열어주며, 성장은 우리가 어제보다 오늘 더 나아질 수 있음을 보여 줍니다. 우리 스스로를 뛰어넘는 것은 이 모든 것을 가능하게 하는 도전 정신입니다. 또한, 도전을 피해가는 것이 아니라, 그것을 받아들이고 이를 통해 성장하려는 용기를 갖고. 도전을 맞이함으로써, 능력과 잠재력을 향상시키고, 새로운 가능성을 찾아내는 데 필요한 기회를 얻을 수 있습니다.

작가인 리처드 브랜슨(Richard Branson)은 영국의 기업가, 작가, 사회적기업가로 알려져 있습니다. 또한 그는 버진그룹(Virgin Group)의 창업자로, 항공, 음악 엔터테인먼트, 여행 등 다양한 산업분야에서 성공을 거두었습니다. 그의 대담한 도전 정신으로 불가능한 것이 없다는 믿음을 바탕으로 여러 산업에 혁신을 주도해왔으며, 그의 도전 정신이 그를 세계적인 성공으로 이끈 원동력입니다. 그는 대중적인 글쓰기로도 알려져 있으며, 그의 책들은 비즈니스, 리더십, 도전정신, 성공철학 다양한 주제를 다룹니다. 그의 책 중에서는 롯데리의 비밀(The Virgin Way), 비즈니스는 재미있어야 한다(Screw it, Let's Do it) 등이 유명합니다.

도전은 우리를 더 나은 사람으로 만든다. 도전을 통해 우리는 강해지고, 지혜로워지고, 용기를 얻는다. - J.K. 롤링 -

도전은 단순히 어려움을 겪는 과정이 아니라, 우리를 더 나은 사람으로 만들어주는 가치 있는 경험입니다.

도전을 통해 우리는 강해집니다. 어려움에 속에서 자신의 한계를 뛰어넘어야 하며, 이 과정에서 우리는 내면의 힘을 발견하게 됩니다. 강함은 육체적인 힘 만을 의미하는 것이 아니라, 어려움을 이겨내기 위한 정신적인 힘을 말합니다. 전을 통해 우리는 지혜를 얻습니다. 도전을 통해 우리는 용기를 얻습니다.

J.K. 롤링(Rowling)은 "해리 포터" 시리즈의 저자로 그녀의 삶 자체가 도전이었습니다. 가난한 가정에서 태어나 학업을 중단해야 했고, 이혼과 실직의 아픔을 겪어야 했습니다. 그러나 그녀는 이러한 환경에서 도전을 두려워하지 않고, 마법 학교를 배경으로 한 판타지 소설 시리즈인 "해리 포터"책을 집필하여 전 세계에서 사랑을 받고 성공을 하게 되었습니다. 롤링 은 도전을 통해 강해지고 지혜와 용기를 얻어 더 나은 사람으로 성장하였습니다.

건강

건강은 행복의 열쇠이다. - 에피쿠로스-

건강이 우리의 삶에서 행복을 찾고, 행복을 유지하는 데 있어 중요한 역할을 하며 건강한 생활 습관 또한 굉장히 중요하다는 메세지를 말하고 있습니다.

에피쿠로스(Epicurus)는 고대 그리스의 유명한 철학자로, 그의 철학은 현실적이고 실용적인 가르침으로, 인간의 행복과 삶의 질 향상을 위해 필요한 가치와 원칙을 제시하며, "건강은 행복의 열쇠이다 "명언에서 건강이 행복과 밀접한 관련이 있다고 말합니다. 신체적인 건강과 정신적인 평온이 행복의 기반으로 건강을 유지하고 강화하는 것이 삶을 즐기고 행복을 찾는 핵심이라고 말합니다. 에피쿠로스의 철학은 쾌락주의를 주장하였으나, 이는 무분별한 쾌락 추구를 의미하는 것이 아니라, 단순한 쾌락의 순간적인 즐거움보다는 지속적인 만족과 내적인 평화를 추구하는 것을 진정한 행복이라고 믿고 적당한 욕구 충족과 절재, 친구와의 교류, 등을 통해 행복을 삶을 실현할 수 있음을 알려주고 있습니다.

건강은 우리가 가진 최고의 재산이다.

-벤자민 프랭클린-

우리 모두는 삶 속에서 다양한 재산을 쌓아가며 살아갑니다. 돈, 집, 차 물질적인 재산뿐 만 아니라 지식, 능력, 경험과 같은 무형의 재산도 모두 우리의 삶을 풍요롭게 만드는 중용한 요소입니다. 하지만 이런 모든 재산들 중에서도 우리가 가장 큰 재산은 바로 '건강' 입니다. 건강은 우리가 삶을 즐기고, 꿈을 이루고, 사랑하는 사람들과 행복한 순간을 공유할 수 있게 만드는 기본적인 조건입니다. 건강이 없다면, 모든 물질적인 재산이나 지식, 능력도 그 가치를 충분히 발휘할 수 없습니다. 그래서 우리는 건강을 소중히 해야 합니다. 적절한운동, 균형 잡힌 식사, 충분한 휴식 등을 통해 건강을 지켜야 합니다. 육체적 건강, 뿐만 아니라 정신적 건강도 중요합니다. 스트레스를 효과적으로 관리하고, 긍정적인 마음을 유지하며, 사랑하는 사람들 과의 관계를 소중히 다루는 것이 필요합니다. 삶과 행복, 그리고 삶의 만족도에 직접적인 영향을 미치는 중요한 자산입니다. 건강한 생활 과 건강을 챙기는 습관을 만들어 보세요.

벤자민 프랭클린(Benjamin Franklin)은 18세기 미국의 정치가, 과학자, 발명가, 철학자, 저술가 등 다양한 역할을 수행하였습니다. 그의 저서와 명언들은 그의 깊은 지식과 통찰력, 뛰어난 지혜를 보여주며, 그의 생각과 가치관은 오늘날에도 많은 사람들에게 영감을 주고 있습니다. 그는 미국 독립의 주요한 선도자로서, 그의 업적과 기여는 미국의 역사와 문화에 깊은 영향을 주었습니다.

평화

평화는 우리의 마음속에 있는 작은 빛이다. 그것은 우리가 그것을

찾을 때만 빛날 수 있다. - 루이스 캐롤 -

루이스 캐롤의 이 명언은 평화가 어디에서 오는지, 그리고 그것이 어떻게 우리의 삶을 비추는지를 설명합니다. 평화를 '우리 마음속에 있는 작은 빛으로 비유하며, 이는 평화가 외부 세상에서 찾을 수 있는 것이 아니라, 우리 자신의 내면에서 발견해야 한다는 사실을 강조합니다. 또한, 그는 평화가 우리가 그것을 찾고자 할 때만 빛날 수 있다고 말함으로써, 평화를 이루는 것은 우리 자신의 의지와 행동에 달려 있다는 것을 시사합니다. 이것은 평화가 단순히 외부 환경에 의해 결정되는 것이 아니라, 우리 자신의 마음가짐과 행동에 의해 크게 영향을 받는다는 중요한 메시지를 전달합니다.

루이스 캐롤은(Lewis Carroll) 19세기 영국의 작가로, 그는 주로 어린 독자들을 위한 판타지와 어린이 문화 작품으로 유명하며, 그의 가장 유명한 작품으로는 "이상한 나라의 앨리스"와 "거울 나라의 앨리스"가 있습니다. 그는 매우 독특하고 상상력이 풍부한 이야기로 유명합니다. 현실과 판타지를 융합시켜 환상적인 세계로 이끌어 여러 세대의 독자들에게 사랑을 받고 있습니다.

평화는 이긴 것이 아니라, 이해하는 것이다.

- 마리사 모노세스쿠-

평화는 서로에 대한 이해를 통해 이루어질 수 있습니다. 우리는 서로의 문화와 관점을 이해함으로써, 서로의 차이점을 인정하고 존중할 수 있어야 합니다. 이러한 이해는 갈등을 해결하고 평화를 구축하는 데 필수적이라고 모노세스쿠는 말하고 있습니다. 세계는 여전히 전쟁과 갈등으로 고통받고 있습니다. 서로를 이해하고 존중함으로써, 우리는 평화로운 세상을 만들 수 있습니다.

마리사 모노세스쿠(Marisa Montesquieu)는 현대의 작가로 그의 작품은 평화와 이해를 강조하며 그녀는 다양한 주제를 다루면서 사랑, 용기, 우정과 같은 감정적인 요소를 통해 독자들에게 긍정적인 메시지를 전달하는 작품으로 알려져 있습니다. 또한 그녀의 이야기는 아이들이 자신과 주변의 사람들을 이해하고 존중하는 중요성을 깨닫게 하며, 평화로운 공존을 추구하는 가치를 말해주고. 사람들 간의 연결과 소통의 소중한 가르침의 교훈을 줍니다

부모

부모님이 우리의 어린 시절을 꾸며 주셨으니 우리도 부모님의 남은 생애를 아름답게 꾸며드려야 한다. - 생텍쥐페리-

부모님에 대한 사랑과 감사

부모님은 자녀의 인생에 가장 큰 영향을 미치는 존재라는 점을 강조하고 있습니다. 부모님은 자녀에게 사랑과 관심, 그리고 교육을 통해 자녀가 건강하고 행복하게 성장할 수 있도록 도와줍니다. 따라서 자녀는 부모님의 사랑과 헌신에 보답하고, 부모님의 남은 생애를 아름답게 꾸며드리기 위해 노력해야 합니다. 먼저 자녀가 건강하고 행복하게 살 수 있도록 도와주는 것이 가장 중요합니다. 자녀가 자신의 꿈을 이루고, 원하는 삶을 살 수 있도록 지원해 주어야 합니다. 또한, 부모님과 자주 만나고, 대화를 나누며, 사랑과 존경을 표현하는 것도 중요합니다. 부모님과 함께 시간을 보내고, 부모님을 위해 작은 선물을 주는 것도 좋은 방법입니다.

생텍쥐페리(Antoine de Saint-Exupery)는 어린 시절부터 글쓰기를 좋아했습니다. 그는 어머니의 격려와 지원을 받아 글쓰기를 계속할 수 있었다. 생텍쥐페리는 항상 "네가 하고 싶은 일을 하도록 해. 네가 되고 싶은 사람이 되어라." 라는 어머니의 말을 가슴에 새겼습니다. 생텍쥐페리는 어린 왕자, 밤비, 성채 등 많은 작품을 남겼습니다. 그의 작품들은 전세계 사람들에게 여전히 사랑받고 있습니다. 생텍쥐 페리의 명언은 부모님에 대한 사랑과 감사의 마음을 잘 표현하고 있습니다. 부모님은 자녀의 인생에 가장 큰 영향을 미치는 존재입니다. 자녀는 부모님의 사랑과 헌신에 보답하기 위해 노력해야 합니다.

집

집은 마음의 안식처입니다. - 헨리 워드 비처-

마음의 안식처 인 집은 우리에게 편안함과 안정감을 주며, 우리의 삶에 안정과 평온함을 더해주는 중요한 장소입니다.

또한 집은 우리의 삶에서 피난처와 휴식처, 스트레스와 압박에서 벗어나 휴식을 취하고, 에너지를 회복하며, 자신을 찾을 수 있습니다. 따라서, 집은 마음의 안식처가 되어, 우리의 삶에 깊이와 의미를 더해주며, 우리에게 편안함과 행복을 제공합니다.

헨리 워드 비처(Henry Ward Beecher)는 19세기 미국의 목사, 작가, 사회 개혁가 로 사회 문제에 대한 열정과 예술적 재능으로 많은 사람들에게 영향을 주었으며 그 중에서도 가정과 가족에 대한 명언 "집은 마음의 안식처다"로 가정의 중요성과 가정이 개인의 안정과 행복에 어떠한 역할을 하는지를 알려주고 있습니다.

집은 우리가 가장 편안하고 사랑받는 곳입니다. - 마크 트웨인

집은 단순히 건물이나 공간을 초월한, 우리의 마음과 정서가 가장 편안하게 머무를 수 있는 곳입니다. 그곳에서 우리는 사랑받음을 느끼며, 스스로를 그대로 표현할 수 있습니다. 트웨인은 집을 '가장 편안하고 사랑받는 곳'이라고 묘사함으로써, 집이 우리의 삶에서 안정감과 행복, 편안함을 제공하는 장소라는 사실을 강조하고 있습니다.

마크 트웨인(Mark Twain), 본명은 사무엘 랭혼 크레먼스는 19세기 미국의 대표적인 작가로, 그의 작품들은 그의 독특한 유머 감각과 사회에 대한 예리한 비판으로 유명합니다. 그의 가장 유명한 작품인 '톰 소여의 모험'과 '허클베리 핀의 모험'은 미국 문학의 고전으로 꼽히며, 그의 작품은 여전히 전 세계의 독자들에게 사랑받고 있습니다.

자유

사람은 혼자 있는 동안에만 그 자신이 될 수 있습니다. 그가 고독을 사랑하지 않는다면 그는 자유를 사랑하지 않을 것입니다. 그가 혼자 있을 때에만 그가 진정으로 자유로울 수 있기 때문입니다.

- 아서 쇼펜하우어-

고독을 사랑하는 것이 자유를 사랑하는 것, 이는 자신의 마음과 생각에 대한 깊은 이해와 통찰력을 보여줍니다. 혼자 있는 동안에만 사람은 자신의 생각과 감정, 그리고 자신이 무엇을 원하고, 무엇을 추구하는지에 대해 깊이 이해하고, 그것을 통해 자신의 삶을 이해하고, 그에 따라 자신의 행동과 선택을 결정할 수 있습니다. 이러한 이해와 통찰력은 진정한 자유의 본질을 이루며, 이것이 없이는 자유는 단순히 허상일 뿐입니다.

아서 쇼펜하우어(Arthur Schopenhau)는 19세기 독일의 철학자로, 그의 철학은 인간의 욕망과 고통에 중점을 두었으며, 그는 이러한 주제를 통해 인간의 삶과 존재에 대한 깊이 있는 이해를 주고 그의 철학적인 통찰력과 지혜를 보여줍니다.

두려움을 극복한 사람은 진정으로 자유로워질 것입니다.

- 아리스토텔레스-

이 명언은 두려움이라는 감정이 우리의 자유에 어떠한 영향을 미치는지에 대한 아리스토텔레스의 견해를 보여줍니다. 그는 두려움을 극복함으로써 우리가 진정한 자유를 얻을 수 있다고 주장하였습니다. 이는 두려움이 우리의 행동과 결정에 제약을 가하고, 우리가 원하는 삶을 살아가는 것을 방해하므로, 이러한 두려움을 극복하는 것이 자유를 얻는 첫걸음이라고 합니다.

아리스토텔레스(Aristoteles)는 고대 그리스의 대표적인 철학자로, 그의 철학은 논리학, 과학, 윤리학, 정치학 등 다양한 분야에 걸쳐 광범위하게 이르며, 그의 철학적 사고는 서양 철학의 발전에 결정적인 영향을 미쳤습니다. 그는 인간의 본질과 행복, 그리고 덕을 탐구하였으며, 그의 윤리학은 개인의 행복을 추구하는 것이 최상의 목표라는 아이디어를 제시하였습니다. 아리스토텔레스의 철학은 그의 많은 작품에서 잘 나타나며, 그의 생각은 오늘날에도 많은 사람들에게 영감을 주고 있습니다.

우리가 가진 유일한 자유는 자기 자신을 갈고 닦을 자유다.

- 머나드 버류크

우리의 유일한 자유가 자기 자신을 개선하고 발전시키는 능력이라고 말합니다. 이는 자신의 능력과 지식, 그리고 자신이 누구 인가에 대한 이해를 통해 진정한 자유를 얻을 수 있다는 것을 의미합니다.

머나드 버류크(Montaigne)는 프랑스 작가이며, 에세이의 창시자로 본명은 미셜 드 몽테뉴(Michel de Montaigne)입니다, 그는 자기 자신을 갈고 닦는 것의 중요성을 강조하며 이를 통해 진리에 더 가까워질 수 있다고 주장했습니다. 사람들의 개인의 자유에 대한 깊이 있는 이해를 통해, 자기 발견과 성장의 중요성과 어떻게 자신의 삶을 이해하고, 그에 따른 행동과 선택을 결정할 수 있는지를 말해 주고 있습니다.